SO-AVU-194

0

Pericopín

**MONTAÑA
ENCANTADA**

$9.50

Hilda Perera
Ilustrado por María Luisa Torcida

Pericopín

everest

Dirección editorial: Raquel López Varela
Coordinación editorial: Matthew Todd Borgens
Maquetación: Ana María García Alonso
Diseño de cubierta: Jesús Cruz

DECIMOTERCERA EDICIÓN

© Hilda Perera
© EDITORIAL EVEREST, S. A.
Carretera León-La Coruña, km 5 - LEÓN
ISBN: 978-84-241-3272-9
Depósito legal: LE. 610-2007
Printed in Spain - Impreso en España

EDITORIAL EVERGRÁFICAS, S. L.
Carretera León-La Coruña, km 5
LEÓN (España)
Atención al cliente: 902 123 400
www.everest.es

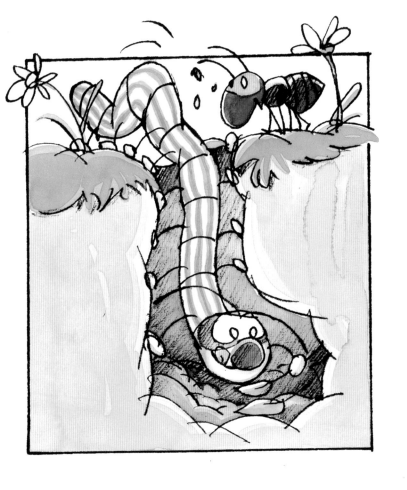

Pericopín era largo y amarillo y verde y tenía muchas patas y vivía en un hueco de la tierra (lo cual no tiene nada de particular, porque Pericopín era un

gusano). Como gusano le iba
bastante bien. Vivía en un jardín
abandonado y tenía por casa un
huequecito oscuro y húmedo.

Allí almacenaba las hojitas de romerillo y albahaca, para cuando la lluvia le impedía salir por ahí de come–come. Todas las tardes, después de la siesta –porque Pericopín tenía

una vida muy ordenada, con siesta y todo–, se iba a visitar a su amigo el roble, quien por ser el más alto del patio, sabía todo lo que en él pasaba. Los dos amigos se estaban juntos hasta el

atardecer, habla que te habla todo el rato.

De regreso, para la cena, Pericopín se iba por el bordecito
mismo de alguna hoja y le comía
el verde jugoso.

A pesar de ser la suya una vida arrastrada, como es natural por ser un gusano, Pericopín hubiera seguido así siempre. Tenía casa y verde y árbol y como el jardín estaba abandonado, no había te-

mor a las suelas de zapatos que
de una sola pisada acaban con
las hormigas, las mariquitas y los
gusanos que viven en la tierra.

Un día, por la tarde, Pericopín salió a visitar a su amigo el

roble. Iba sin ninguna preocupa-
ción, tranquilamente, y sin pen-
sar en nada, cuando se encuen-
tra de pronto con una enorme
serpiente verde atravesada en
medio del camino.

Apenas pasó al lado de Peri-copín, muy asustado y haciéndose el medio muerto, para no llamar la atención, la serpiente empezó a echar un chorro de agua por la boca.

Todo mojado, el pobre Pericopín salió corriendo, asustadísimo
y se metió en su cuevita oscura.

—¡Qué horror! ¡Esto es el di-
luvio! ¡El fin del mundo! —decía
sin atreverse a salir. Al fin, cuando

vio que ya no salía más agua de la
boca de la serpiente, se fue a ver
a su amigo el roble para contarle.

—Hoy ha venido una enorme
serpiente verde al jardín, y me ha
soltado un gran chorro de agua

que por poco me ahoga, y me ha inundado la casa.

El roble le contestó, muy sosegado:

—No era serpiente, sino manguera, Pericopín.

—¿Manguera?

—Sí, señor, que yo la vi.

—Y, entonces, ¿qué hago? —preguntó Pericopín, muy confundido.

—Pues nada le haces. Te vas, te metes en tu casa, tienes paciencia y esperas.

Pericopín, que siempre seguía los consejos del roble porque era muy viejo y muy sabio, fue y se

metió un rato en la rama de un
árbol, y luego tomó el camino de
su casa, con mucha paciencia, y
se acostó a dormir.

Pero apenas había cerrado
los ojos, cuando lo despertó

una luz inmensa que iluminó su cueva más que la claridad del sol.

Pericopín se frotó los ojos muy asustado, se asomó a ver lo que pasaba, y vio una luz muy fuerte. La traía de la mano un

hombrón que a Pericopín le pareció gigante, y que decía:

—¡Aquí! ¡Aquí están las hormigas!

Pericopín se asomó con mucho cuidado, y con la luz, vio enormes filas de sus amigas las hormigas que iban huyendo, muertas de miedo, y se llevaban las hojas que habían guardado

con tanto trabajo durante el verano. Al pasar, la hormiga jefe le dijo muy bajito, con su fina voz de hormiga triste:

—¡Adiós, adiós, Pericopín! ¡Esto es el fin! ¡Esto es el fin!

Como Pericopín no entendía nada, se fue a ver al roble y le dijo:

—Vino una luz y me despertó en la cueva. Y las hormigas salieron huyendo y me dijeron adiós.

Y debe de ser que la luz las mata. ¡Ah!, y hay un gigantón enorme, más grande que tú, seguro, que va a acabar con todos nosotros —terminó en un susurro y mirando a ver si alguien lo oía.

—No, Pericopín, esa luz es una linterna, y las hormigas se han mudado para el solar de enfrente. Y no hay tal gigantón como dices: es un jardinero, y no va a acabar con nosotros. Todo lo contrario: es de esos jardineros modernos que arreglan el jardín en un día.

—Y yo, entonces, ¿qué hago? —preguntó Pericopín, que era muy poco amigo de los cambios.

—Pues te vas a tu casa y tienes paciencia, y ya verás.

Efectivamente, cuando se despertó al día siguiente, Pericopín miró al patio y se quedó asombrado: la hierbita estaba recortada que parecía una alfombra. Había flores de todos los colo-

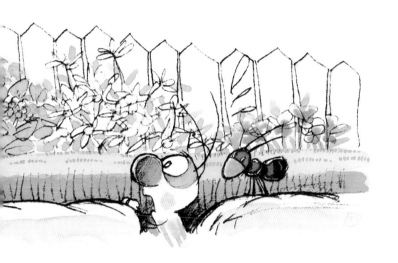

res: jazmines de cinco pétalos, diamelas blancas, amapolas rojas, lirios morados y un arco iris de flores de primavera.

Pericopín vio aquella maravilla y se vio feo y lleno de patas,

con su camisa cómica de rayas
verdes y amarillas. Se preocupó
tanto, que fue a donde estaba su
amigo el roble y le dijo:

—El jardinero, la serpiente y
la linterna han puesto el jardín

maravilloso. Da gusto verlo. Y
yo me he quedado feo y lleno de
patas. ¿Qué haré, qué haré mi
señor amigo roble?

—Pues tienes paciencia, Pericopín, y te vas a tu casa, y no te

pasará absolutamente nada —le dijo el roble.

Pericopín tuvo paciencia y se fue despacito, despacito, pero ya llegando a su casa, sintió un sueño tan grande que casi no podía mo-

ver las patitas y pensó que a lo mejor el jardinero, y la linterna, y la manguera, por feo y refeo, lo estaban matando.

Pero no fue eso. Pericopín se quedó dormido días y noches,

noches y días enteros. Por fin, un día despertó y sintió que iba volando por el aire, y vio las copas de los árboles desde arriba, y el jardín todo florecido. Subía y bajaba deslizándose por el aire, co-

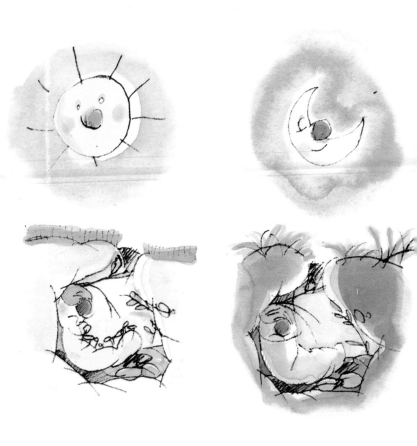

mo si no pesara, como si estuvie-
ra flotando. Preocupadísimo, se
fue otra vez a ver a su amigo el
roble.

—¿No sabes, amigo roble,
que ya me he muerto?

—¡No me digas, Pericopín!
¡Qué pena! —dijo el roble sin
ninguna consideración—. ¿Y
cómo lo sabes?

—Pues, verás, que ahora mismo te cuento. Aquel día, cuando

vine a verte,
ya llegando a mi ca-
sa, me entró un sueño,

pero un sueño terrible. "Bueno,
qué se le va a hacer", me dije.
Me quedé quietecito y me morí.
¿No ves, no ves cómo floto? ¡Es
que soy un espíritu! ¡Un fantas-

ma, amigo roble! ¡Quién iba a decirlo!

—No, señor. Tú no eres ningún fantasma, Pericopín —replicó el roble, muy convencido—.

¡Vete hasta el estanque y mírate en el agua, para que veas lo que eres!

Pericopín se fue muy compungido deslizándose por el aire. Esperaba ver un gusano fantas-

ma, con su cómica camisa a rayas verdes y amarillas…

Pero, con gran sorpresa, al llegar al estanque, oye asombrado un murmullo que venía de las flores:

—¡Qué linda! ¡Qué alas! ¡Qué color! ¡Qué belleza!

Entonces, oyó la voz poderosa de su amigo el roble:

—¡Es Pericopín! ¡Es Pericopín, que se volvió mariposa!